AF283077

Todas las veces
que (no) me enamoré

Todas las veces
que (no) me enamoré

Cristina Guzmán Dorado

EDICIONES PANGEA

Primera edición: marzo de 2026
Segunda edición: mayo de 2026

Del texto: © Cristina Guzmán Dorado

De esta edición: © Ediciones Pangea, 2026
41720 Los Palacios y Villafranca, Sevilla
www.edicionespangea.com

Edición al cuidado de Isabel Arias Marchena y José Peña Fierro
Composición de cubierta: Sodara Studio

ISBN: 979-13-991750-8-0
Depósito Legal: SE 1827-2026

Impresión: Ulzama Digital
Impreso en España / Printed in Spain

*A quienes este libro
les hace aún más ilusión que a mí,
gracias por elegirme y quedaros.*

Cualquier parecido con la realidad
es puro deseo, casualidad, ego, verdad.

1

Más de 35 grados o menos de 10,
una mesa redonda, sofás, sillas de madera,
la tele o música de fondo,
fines de semana desde las 6 hasta las tantas,
alargar la merienda, cenar juntos,
los de siempre,
una vez más,
y volver...

2

Dos mundos diferentes,
tan distintos,
tú no eres más que yo
ni yo más que tú,
monstruos, rarezas y silencios.
Una noche de verano, varias miradas,
alguna que otra canción dedicada.
Ni el más atrevido soñador apostaría por ellos.
Nadie.
Pero de algo estoy segura:
si fuéramos letras,
viviríamos en la misma calle.
Y tú que ni te enteras.

3

El camino de vuelta a casa
siempre daba mucho que pensar:
cada día se planteaba la idea
de que, si él la mirase como ella a él,
todo sería más fácil.
Sin darse cuenta,
tonta,
despistada,
loca,
de que quien la miraba con magia,
más de lo que ella podía imaginar,
estaba al otro lado,
donde a ella nunca se le ocurría mirar.

4

Sentía miedo.
Él, digo.
De ella.
Y de todo lo que tuviera con la palabra amor,
pero algo jugaba en su contra:
cada centímetro cuadrado de su alma
temblaba cuando la tenía cerca.
La misma alma
que se le cae al suelo
cada vez que ella levanta la mirada
y le clava los ojos,
como si en ese puto instante
no existiera nada más.

Pero no tienes huevos a decírselo.

5

Recogerme el pelo con un moño,
malamente,
andar descalza todo el día
y beber agua fría,
todo el rato.
Vivir el día, lo que toque,
sin pensar demasiado
o pensándolo de más.
Ducha —dios, ese momento,
la piel en su mejor versión—
y sábanas blancas.
Acabar el día escribiendo,
un caos,
cuatro letras,
con o sin sentido,
todo lo que esté dentro.

6

Puedes conocerme con solo mirarme,
o puedes no saber nada de mí
aunque estés conmigo 24/7.
Puedo contarte mi vida
y no preguntarte nada de la tuya,
o querer conocer cada segundo de tu día,
cada milímetro de tu cuerpo y de tu mente.
Puedo no saber callarme
ni tampoco querer hacerlo.
Puedo parecer tener 10 años
y no pretender que creas lo contrario.
Puedo escribir cada noche de mi vida,
mil letras,
con y sin sentido,
y que probablemente conozcas
un 1 % de todo.
Puede que todos seamos ese 1 %,
o puede que otros sean su total
con el resto del mundo,
sin miedo.

Porque no siempre es blanco o negro,
hay demasiados colores por el mundo

y me pido ser un poco de todos.
Cada maldita letra que hay en mí,
con o sin sentido,
es mi total y absoluto 1 %.

7

Y tú te alejas de mí
por pensar justo lo contrario
a lo que en realidad es.
Quiero que te quedes
y que todo me pase contigo.

8

No me gusta el mundo
cubierto de plástico,
la gente que se enfada con facilidad
ni la violencia de género.
No me gusta.

Odio que tengas que ser
como se supone que esperan que seas,
odio tener que rimar la primera
con la tercera y la segunda con la cuarta,
odio la ley de Murphy,
odio todo lo que nos ata,
odio las leyes que oprimen,
odio los vetos de artistas
y odio las tirantas del sujetador.

Odio los discursos carentes de valores,
odio a quien cree que hay un destino escrito,
odio la muerte de Lorca
y que haya mentes que sigan en las mismas.

Odio que quien va a por el amor de su vida
aun sabiendo que puede ser rechazado

solo pase en las películas,
odio que Netflix saque una temporada completa
y que la magia de esperar
siete días se haya perdido.

Odio el mundo a no sé cuántos kilómetros
por hora y los ojos fijos en una pantalla.

Odio no tener valor para decirte
que me muero por volver a verte.

9

Ahí estábamos los dos
bajo las sábanas de esa cama,
salvándonos de otras vidas
que nos dejaron rotos,
haciéndonos ver que las historias
de las películas pueden ser reales,
y desde entonces solo sé que hay planes
que aún no he vivido
y que solo se me ocurren vivirlos contigo,
que eres más de lo que esperaba del amor,
que por ti he vuelto a escribir
y que yo soy más yo que nunca.
Quiero tirarme el verano entero desnuda
contigo en alguna playa perdida de Cádiz,
y seguir en las mismas en pleno diciembre.
Quiero dejar de tenerle miedo a esto.
Contigo no hay otra que arriesgarse y morir.

De amor.

10

Que el toque de queda nos pille
bajo las mismas sábanas,
que hagamos planes de novios sin serlo,
que visitemos cada rincón de Cádiz
los fines de semana,
que bebamos cerveza al sol
y nos comamos a la luz de la luna,
que sea algo nuestro y de nadie más,
que volvamos siempre el uno al otro.
Contigo no quiero ser ese cigarrillo
que se consume,
contigo quiero ser olor
de este que se queda,
quiero ser el vicio, tu vicio.
Y que no tengas más vicios que yo.

11

Tú, aventurero,
tú, Alexander Supertramp,
voy a hablarte en términos que entiendas
lo que eres para mí.
No encuentro forma alguna
de decirte te quiero
que aún no esté inventada.
Eres mi Roma con amor,
mi jubilación en cualquier rincón de Cádiz.

12

Estoy segura de que lo nuestro
habría sido de película,
de esas pocas que acaban bien,
comen perdices y esas cosas.
No quiero estar contigo,
pero quiero estar contigo.
También estoy segura de que me entiendes
cuando digo esto.
Sigo mirando por la ventana del coche
con la esperanza de cruzarnos.
Odio que seas tú quien hizo que yo acabara
siendo yo misma y que no hubiera sido yo sola.
Pero me hace feliz que seas tú
a quien conocí en aquel momento.
Ojalá algún día nos veamos y no sea incómodo,
ojalá te acuerdes de mí
con la mejor de las sensaciones.

13

¿Acaso el amor no ocupa el 90 % de nuestro tiempo?
¿De nuestros pensamientos?
No sé escribir si no es de esto.
No sé escribir si no es de ti,
o del amor que siento hacia mí.
Sigues aquí, aunque no lo parezca,
y sigo siendo hogar
incluso para ti, que decidiste irte sin llaves.
Quiero contarte lo feliz que soy
y cómo me quiero, me respeto y me siento,
de verdad, quiero contártelo todo,
y que tú me hables sin medida
de todo lo que te hace feliz ahora.
Es algo que todos deberíamos hacer.
Espero que estés bien,
que te quieran bien y mucho,
espero que te quieras y ames como nadie,
espero que…
Te espero.
Siempre lo haré,
aunque parezca que no,
siempre lo haré.

14

Mensaje de auxilio:

--.-

..-

.

-..

.-

-

.

15

Hay veces que me acuerdo
de por qué quiero estar sola,
lo necesito,
necesito ser escudo y protección de mí misma,
necesito que nada pase,
y si pasa, saber cómo salvarme
la vida de antemano.
Necesito escribirlo y que nadie más sepa
qué hay aquí dentro.
Necesito tener la última palabra
porque, después de eso,
no voy a contárselo a más nadie
y no quiero que eso se quede ahí
y quedarme con algo dentro para siempre.
Pero sé que soltar una granada y salir corriendo
es lo más doloroso
que puede sucederte,
como si, después de eso,
no fuera a pasar el mayor de los desastres
que quepa en tu cuerpo.
Hay mentiras, palabras, voces
que hieren tanto
que recuerdo por qué solo estoy a salvo
cuando estoy conmigo.

16

Hemos llegado al punto de no tenerte
que gustar las cosas de verdad, solo parecerlo.
No tienes que pensar algo o creer en algo
de verdad, solo parecerlo.
En el que para gustarle a alguien
tienes que fingir que te gusta lo que a él,
en el que cambiar tus valores
está justificado porque es adaptarse,
en el que todo vale,
en el que vender a Instagram el valor
que le das a la salud mental, al feminismo
o a las relaciones sanas se queda
en simplemente en un post más,
y nada más lejos de la realidad.

Y qué triste ser así.

17

Las historias de domingo
llevan toda la vida escritas:
cama deshecha, pelis y echarte de menos.

18

Quiero que seas tú a la primera persona
en mi vida a la que le diga te quiero,
quiero futuros contigo.
Contigo quiero suelo, sofá y cama.
Quiero veranos en enero y diciembres fríos
frente a la chimenea de YouTube.
Contigo quiero inventar citas, palabras y poesía.
Contigo quiero vueltas a casa y a la realidad,
después de soñar despiertos 24/7.
Contigo quiero todo, todos los días
de mi vida, porque eres tú quien aparece
siempre en mi cabeza, en mis sueños
y en mis textos.
Porque no me imagino escribir
y que tú no seas motivo o inspiración,
porque siempre lo has sido
y siempre lo vas a ser.
Aunque no estés,
aunque ya nunca estés.

19

Te escribo este poema
para que entiendas y veas
cómo se ve el mundo desde aquí,
que no ha pasado el tiempo aquí dentro
aunque parezca que sí,
que sigo esperándote,
que sigo queriendo saberlo todo de ti,
que hay mucho que quiero contarte.
No me habría imaginado un peor final
para lo nuestro,
pero de haberlo sabido,
te habría besado cada maldito día.
Puede que nuestro problema
fuera no haber tenido un principio siquiera,
pero era un lema muy nuestro
eso de no ponerle nombre a nada,
muy modernos para ser tan de Shakespeare
nosotros.
Nos vino grande eso,
pero quiero que sepas que, si algún día
sientes esas ganas enormes
de volver aquí,
que vuelvas,

sepas o no lo que vayas a encontrarte,
vuelve,
porque te juro que la vida no son dos días,
aunque esos días de más que tenemos
pasan muy rápido,
y no sé tú,
pero yo quiero vivirlos
todos contigo.

20

Una maldita pandemia
ha sido el golpe en la mesa más fuerte
que hemos vivido hasta ahora,
ni la propia naturaleza nos ha gritado
antes más fuerte,
o no la hemos querido oír.
La realidad es que un maldito bicho
nos ha hecho darnos cuenta del tiempo,
del que nos ha robado:
niños sin poder ver a sus abuelos
y sin poder jugar en el parque;
jóvenes perdiendo fiestas y clases;
a nosotros, a nosotros nos ha quitado
la poca juventud que nos quedaba
para entrar en una discoteca
y no ser los mayores de la sala;
a unos padres saturados y con miedo
y a unos abuelos con peligro.
Una pandemia que nos ha enseñado
a no hacer planes a largo plazo,
más bien eso lo leí en Twitter,
pero es verdad,
nos ha enseñado que hay poco tiempo

y que hay que correr, correr muy rápido,
nos ha enseñado que con las mascarillas
las miradas se multiplican por mil,
que la distancia de seguridad es demasiada
y que quizá somos más amigos de la cuenta,
pero los quiero a todos por igual.

21

No sé qué cojones echo de menos,
pero siento que me falta algo,
me siento vacía,
necesito escribir mucho,
pero no encuentro las palabras,
y ellas a mí tampoco.
Ojalá entendieras que no hay nada en el mundo
que me guste más que tirarme a ver un atardecer,
que el texto trece de este libro no es casualidad,
que soy distante con todo
y constante con nada,
pero echo de menos
cuando algo deja de ser rutina,
que me cuesta la vida
romper el muro que me separa de todo,
aunque me muero de ganas de saltarlo.
Siento que tengo mucho que decir,
pero no sé cómo,
si debo
o si vale para algo decirlo.
Cuando menos lo dices,
cuando menos lo parece,
es cuando más te pasa.

22

Jugando a este juego
de quién puede más,
de quién da menos,
pero estamos los dos iguales
solo tú y yo sabemos que estamos jugando,
y vaya vicio.

23

Fuiste ese sol de verano,
ese que hizo mi piel arder,
y con la llegada de septiembre
se fue,
se fue.

24

Escribo estos versos en pasado
porque eso eres para mí,
porque ya no existe forma ni tiempo
para esto, mi mente y todas las partes
de mi cuerpo están cubiertas
como para llenarlas de ti.

He llegado a entender que, si no estás,
se vive mejor,
que todo, aunque algo vaya mal, es mejor.
He vivido contigo dentro de mí más tiempo
del que me habría gustado.

Te tenía ahí como excusa para ponerme guapa
y decir que no era yo sino tú
quien me impedía ser yo,
pero ya no te quiero,
ya no me importas
y ya no hay lugar para ti en mí.

El miedo, todo eso que me hace estar
a la altura justa para no ver las estrellas,
está tan lejos de mí

que ni con el Ateroid B-612 podría llegar.
Porque es aquí y ahora la frase más típica
del mundo, pero también la más real,
el tiempo pasa tan rápido
como un maldito beso en un portal,
y yo, que me he sentado mucho tiempo
a esperar,
he decidido empezar a caminar por la vida
sin pausa y sin prisas.

Contigo quiero quedar y dormir la siesta,
ver *Los Simpson* por la noche
y pedir comida a casa.
Contigo quiero que la vida pase más lenta
y quedarme un ratito más en la cama.
Contigo quiero bajar la guardia y la ventanilla
del coche cuando vayamos llegando
a nuestra playa favorita.
Contigo quiero emborracharme,
quiero que pases cerca y que me agarres
por donde quieras y que nadie se dé cuenta.
Contigo quiero coche, contigo quiero tirarme
a ver estrellas, la luna y ovnis.
Contigo quiero miradas,
contigo quiero tiempos muertos,
quiero paz, esa que solo tú sabes dar,
y mucha guerra.
Contigo quiero días sin vernos,
contigo quiero hablar de todo,
quiero ponerme tu ropa y pintarte las uñas,
quiero tocarte el pelo y las narices,
quiero volverte loco y comerte poco a poco,
quiero vivir días seguidos en tu cama o en la mía,

quiero contarte que estoy hasta el coño
de la rutina y olvidarme al rato
de por qué estaba siendo un día de mierda.
Contigo quiero no verte todos los días,
quiero que no tengas nada que ver
con algunas partes de mi vida,
pero quiero que le des significado a todo,
quiero mi espacio vacío, otro, contigo.
Contigo quiero saber el significado de todo,
y entérate de que, si llegué, fue para jugar,
para jugármelo todo,
que no iba a dar ni un solo paso atrás
si se trataba de apostar contigo y por ti.

Soy esto y lo quiero contigo,
pero no sé cómo decírtelo.

26

Vivía en un vuelo constante
en el que tocar suelo
era sinónimo de saltar a la piscina,
en el que la conocían por su sonrisa
y sus buenas vibras.
Solía vivirlo todo
y no se le pasaba por la mente
caer,
pero hay momentos
en los que el vuelo cae.
No tocas suelo, pero cae
y no lo puedes controlar.
Ella, a quien le solían durar pocos los dramas,
se quedó en aquel a vivir unos días de más,
porque le daba pánico levantar la mirada
y no ver a nadie,
le daba pánico no sentir siempre lo mismo
donde siempre había estado,
le daba pánico que el camino supiera
a desconocido.
Se había salvado tantas veces ella misma
que no le quedaban ideas de cómo hacerlo
una vez más.

27

Era de lo único que ella no sabía escribir,
era tal el dolor,
más de lo que ella podría abarcar.
Pero ella, que siempre sabía buscarse la vida,
no dejó que eso le quitara sus noches
más de tres días seguidos.
Pasará,
se repetía una y otra vez.
Aunque nada vaya bien,
el amor nos salvará de todo.

28

Soy de cristal
porque me rompo con facilidad
y porque soy fácil de leer por dentro.
No me escondo y no lo evito.
Odio y amo ser así,
pero no entiendo la vida de otra manera.
Me parto en mil pedazos con facilidad,
pero araño con los trocitos.
Es lo que tiene ser de cristal.
Me da pánico la soledad no escogida,
me da pánico no saber qué hacer
cuando ya no sepa salvarme a mí misma,
aunque sepa que acabaré haciéndolo
una vez más,
porque yo y solo yo
seré quien esté siempre conmigo.
Me da pánico arroparme en la elección
de que sola se está mejor,
porque así nada ni nadie te hace daño.
Me da pánico todo
lo que me haga callarme y guardar.
Porque entonces dejaré de ser yo,
entonces me alejaré de mí.
Y eso sí que no.

Tenemos que hablar,
tenemos que acabar aquella conversación
en la que ninguno acabó diciendo
lo que quería.
Tengo que contarte la verdad sobre mí,
quiero contártelo todo y que tú decidas
si irte o quedarte.
Te fuiste, pero sin saberlo todo,
y te fuiste sin decir nada,
pero yo sé por qué decidiste irte,
no me lo dijiste, pero lo sé,
y te digo que tenemos que hablarlo
porque esa verdad de mí coincide
con esa razón por la que te fuiste,
aunque no lo sepas,
pero sé que siempre hubo algo
que deberíamos acabar o empezar.
Lo sé y no me preguntes por qué,
pero lo sé, sé por qué te fuiste,
sé por qué no me lo hablaste claro,
lo sé todo de ti.
No sé por qué, pero lo sé.
Cuando estás y cuando no, lo sé.
Y de alguna manera sé que sabes

que esto es para ti.
Pero una vez más no servirá de nada
porque también sé que somos unos cobardes,
los dos.
Necesito contártelo todo de mí
y, entonces, decidas si irte o quedarte,
o ni siquiera quieras plantearte eso.
Pero necesito contártelo todo de mí.
Tenemos que hablar.
Solo quería decirte que ese día y todos
quería más,
quería más contigo.

Juramos mil veces
que después de la última cerveza
nos iríamos a arreglar el mundo,
y el problema es que nunca hubo
una última cerveza.
Hoy no estás y ni sé en qué momento
te fuiste, solo sé que ahora tengo un vacío
que no sé cómo llenarlo.
Sé que soy feliz,
pero también sé que me falta algo.
Ese vacío que se te queda cuando acabas
una serie y ya no sabes qué hacer.
Eras mi capítulo favorito de la serie más top
de todas las plataformas digitales
a las que estuvimos suscritos
en el mes de prueba.
Supongo que lo nuestro también fue eso:
una prueba más,
y cancelamos la suscripción sin darnos cuenta
de que pasar tiempo juntos
era lo mejor que nos podía haber pasado.
Pero no nos gusta la letra pequeña
y, por si acaso, cancelamos

antes de que acabara nuestro tiempo.

Y no sé tú, pero yo me habría suscrito a ti de por vida.

31

Busco la manera de cobijarme
en otras cuatro paredes
que no sean las de siempre.
A veces es frustrante querer y no poder,
otras me da igual,
pero hoy no.
Hoy he intentado salir de aquí,
pero no puedo,
no sé hacerlo.
Quizá ayude viajar desde Google Maps
o quizá mi lista de sitios que visitar crezca.

Escribo para sentirme mejor
y parece que funciona.
Mañana será mejor.

32

Me he hecho seguidora de tu amor kamikaze,
de tus ideas,
de tus gustos,
de los nervios bonitos
que me provocas en la panza,
de mis ganas de verte a todas horas.

Es real, estoy jodida.

33

Mido el tiempo de mis mañanas y mis noches
en audiolibros de poesía.
Tengo una lista infinita de libros
que quiero hasta cubrir el suelo de mi casa
y unas ganas locas de pasar contigo
toda mi vida.

34

Eres esa persona que, cuando estamos
en un mismo espacio, lo sé,
aunque no te vea, pero lo sé.
Cuando dos cuerpos se atraen, eso se sabe.
También sé cuándo estás cerca de mí,
y esta vez no hablo de distancias.
He pensado que podríamos volver a vernos,
podríamos quedarnos a ver el sol
hasta que se esconda y vuelva a salir.
Y ahora me pregunto por qué no has vuelto
aún, y yo que soy de preguntármelo todo
me pregunto por qué no he vuelto yo.
Quizá estés esperando tú lo mismo,
quizá me enredo y enredo en preguntas,
como me gustaría enredarme en tus brazos
y no lo hago,
y no lo haces.

35

Contigo no hay una canción o un día,
ni un número especial que me haga pensar
en ti, que si lo sé, lo sabes, contigo es todo,
siempre lo ha sido y no tengo ni idea
de cómo hacerte saber que eres tú,
que siempre los has sido, sin que pienses
que me he vuelto loca, que sería para estarlo,
pero me vales, me vale cualquier mínimo
gesto de ti, me vale verte ahí,
con una casi notificación,
porque dentro de toda esta mierda
en la que nos hemos visto metidos,
la sociedad digo, eres lo más parecido
a mi mensaje de buenos días, princesa,
que poco me gustan, pero que, si son tuyos, sí.

36

Quiero estar entre tú y la pared.

37

Estamos tan cegados por la primera imagen
que olvidamos leer el pie de foto.
Quizá fijarnos un poco más en las pequeñas cosas
nos haría entender otras,
pero en esta sociedad,
a veces de mierda, otras no,
me doy cuenta de que falta gente
con personalidad real,
sobra miedo,
faltan ovarios y cojones,
sobran prejuicios,
faltan empatía y memoria,
y faltan muchas más cosas
que harían un poquito de bien a todos,
pero preocuparnos de cómo vive el otro su vida
no nos hace más que perder nuestro tiempo.
¿Entonces?
Haz lo que quieres que hagan,
siente como te gustaría que te sientan,
recuerda como te gustaría ser recordado.

38

Con todo esto del confinamiento,
he pensado en apocalipsis zombi,
en el fin del mundo y en islas desiertas,
he pensado en que, si la vida acabase mañana,
qué sí y qué no,
quién sí y quién no,
que no es cuestión de a quién echas de menos,
sino de con quién,
a pesar del tiempo que pase,
siempre vas a querer vaciar botellines
de cerveza en cualquier bar.
Pienso quién será el primero que escriba
una serie sobre esto y consiga vendérsela a Netflix,
y vaya pelotazo.
No paramos de decir «cuando salgamos de esta»
seguido de algún plan que ahora mismo
nos morimos por hacer,
pero ¿qué nos lo impedía antes hacerlo?
Ojalá no olvidemos esto nunca,
ojalá valoremos todo como debemos valorarlo.
Dentro de todo el caos en el que vivimos ahora,
me acuerdo de ti,
porque valorabas todas estas cosas

antes de que esta mierda nos pillara,
y quizá eso lo aprendí de ti,
o quizá ya lo hacía yo antes,
pero me di cuenta en algunas
de nuestras charlas trasnochadas,
y qué bien.

39

Hay cicatrices que nunca nadie sabrá de ellas,
que han sanado con tiempo, tinta y música.

40

Que sigues aquí, aunque no lo parezca.

41

Esa canción que escucharía mil veces,
con los ojos cerrados, dando saltos
y cantando a pleno pulmón,
así te recuerdo.

42

Escribo esto nada más llegar a casa
después de pasar toda la tarde contigo.
Después de la siesta al sol y arena,
me quedé mirándote horas
y tú sin darte cuenta,
diciéndome a mí misma
que no me permitiera quererte
sabiendo que era demasiado tarde.

43

Nuestra historia aún no se ha acabado,
yo la sigo escribiendo con los trocitos
de recuerdos que me quedan de ti,
con las ganas que aún tengo
y con el tiempo y la atención
que sé que aún me das.

44

Llegaste tú,
desmontando mis teorías
de que estoy bien sola,
enseñándome tu extraño sentido del amor,
extraño para mí,
que pensaba que sabía lo que era.
Haciéndome ver que quiero
que no nos gusten las mismas cosas,
que elijas quedarte conmigo un viernes
por la noche, querer encontrarme contigo
de vez en cuando por la calle,
querer tu tiempo,
ese que no supimos aprovechar
cuando estábamos.
Querer que seas tú mi «es Él».
Que entendamos lo mismo
cuando nos hablan de libertad,
amor y salvajadas.
Te quiero todos los días de la semana,
pero no quiero verte todos los días.
Quiero que seas mi solución al frío,
al miedo y a las ganas.
Que quedemos a partir de las doce

y no miremos el reloj ni una sola vez.
Ya nos avisará el sol cuando salga
y nos cuente que podemos seguir
un rato más.

45

Son las tantas de la noche
y no puedo parar de pensar.
He llegado a escribir notas que me partían
en mil pedazos,
otras que me suben hasta las nubes,
pero me asusta la idea
de no poder acabar las frases,
de quedarme en blanco.
Leí que a medias tintas
no se pueden hacer grandes cosas,
y creo que tiene razón, esa sensación,
no sé si humana o propia, de inconformismo,
la necesidad de resetearme lejos de aquí
y la falta de ilusión por mí ahora,
y qué soy yo sin la ilusión.
Supongamos que estos son días,
días de mierda que tiene todo el mundo,
pero de repente lees las palabras
que necesitas, que no cambian nada,
pero que te hacen un poco de bien.
No es que no sepa llevar esto,
es que agota llevarlo siempre encima.

46

Te recuerdo que entre tanto caos
me buscabas con cosquillas,
y es que siempre hacías justo
lo que no esperaba que hicieras.
No te creí nunca,
pero me gustaba cuando estabas cerca.
No puedo evitar echarte en falta
cada vez que me tuerzo un poco.
Llegaste con aire fresco y algo más
a ponerlo todo patas arriba.
Mi huracán Katrina, mi rescoldo,
nuestras cenizas.
Me gustabas con la luz apagada
y la voz baja,
me gustabas cuando te ibas
y cuando volvías,
siempre volvías.
Me gustabas tú. Y ahora...
Me he reconciliado con tu recuerdo,
no es que quiera que vuelvas,
me acordé de ti hoy, y ojalá estés bien.

47

Sabía cuando estabas más cerca
y cuando te estabas alejando,
y no hablo de kilómetros.
Siempre sabía cuándo ibas a volver
antes incluso de expresar la intención
de que lo ibas a hacer.

48

Me he enamorado trescientas veces
en el bus de vuelta a casa.
Unas ocho o nueve en la tienda de ropa
e incontables veces por la calle,
pero no de ti. De ti no lo hice,
pero sé que te echaría de menos
aunque no te hubiera conocido nunca.

He visto que has vuelto a hacer
eso que te gusta,
que estás con gente que te hace bien
y que no vas a ese sitio
que te gustaba tanto.

Ya te lo dije una vez:
no he conocido el amor real,
no me he enamorado nunca de la forma
de la que algunos hablan,
pero estoy segura de que esto
habría cambiado de haberte quedado.

No te lo pediría porque eso no se pide,
pero hay algo que me dice que sigues ahí,

que, de alguna manera, sigues pensando en mí;
quizá sea mi manera de autocontenerme,
que no sea extremadamente patético,
que no sea yo la única que espera que vuelvas,
sino que tú también lo haces.

Pero te prometo que nunca olvidaré
la manera en la que me mirabas,
cogías el vaso de cerveza fría y sonreías.
Nunca nadie lo hizo mejor que tú.

49

Hoy me acordé de ti, es raro
porque casi me acostumbré a tu ausencia,
pero mi cabeza tiene la maldita costumbre
de ponerte ahí siempre
cuando casi te estabas yendo.
Te contaría cómo me va la vida,
pero no quiero aburrirte.
Me muero de ganas de verte e ir a cenar
hamburguesas, ya sabes dónde,
y a tomar unas cervezas, ya sabes dónde
también. Estoy cagada,
hay decisiones importantes en mi vida
que no acabo de tomar,
no es miedo,
es que me hace falta ponerme en orden
y no sé por dónde empezar.
Tampoco eso es nuevo, soy un desastre,
y sí, el mar y tú estáis lejos de mí.
Me pierdo un poco,
pero no te preocupes,
supongo que una vez más
me salvaré a mí misma,
pero me encantaría contártelo todo.

50

Tengo la necesidad de escribir,
hace algunas semanas que no lo hago,
últimamente todo es raro.
No sabría cómo empezar una frase,
ni mucho menos acabar un texto entero.

El verano se está yendo
y eso no me gusta demasiado.

Te echo de menos y me jode
decirlo en voz alta.

51

Escondidos bajo las sábanas
un secreto de dos,
como si fuera un delito darnos amor,
fingiendo que no nos importamos,
un reencuentro nunca supo tan bien.
Una vez más,
puede que sea la última vez.
Déjame cinco minutos más.

52

Tengo letras que corren a la velocidad
de la luz por las venas y la cabeza,
un «Quiero verte» sin el botón de enviar
y tarareo canciones desde primera hora
de la mañana.
Nunca me creo las frases de los sobres
de azúcar del café,
y tengo miradas y sonrisas para regalar
a cualquiera,
pero el dilema está en que quiero
mirarte, vacilarte y reírme sin parar.
Y seguir mirando ahí donde más nadie ve.

53

Estoy en la terraza de un bar que no conozco
y me he acordado de ti.
Últimamente conocemos pocas cosas,
ni a nosotros mismos,
pero casi te leí por dentro
la primera vez que te vi.

Tú siempre fuiste de martes por la noche,
más de birra que de botellín,
más de abrazos que de dos besos,
de poner kilómetros de por medio
y volver con las ideas renovadas
y la misma sonrisa de siempre,
de charlas que dan años de vida
y de vacilar,
de traer la paz que necesito
y la guerra que me gusta.

¿Sabes?
Al final no éramos tan distintos:
dos planetas que necesitan su espacio,
sus satélites y hasta su calentamiento global.

Yo te espero cada día,
desde el minuto cero lo hago,
inconscientemente.
Siempre supe que no había fin,
al menos por ahora,
esa seguridad que ni sé de dónde viene,
pero que ahí está.
Sé que aún hay más.

Y escribo sin escribirte
porque esta es mi manera
de sentirte más cerca.

54

Es matemático, físico, lógico, natural.
Entre tú y yo no hay lugar al error.

55

Voy por la vida sin demasiadas expectativas,
con una pequeña dosis de cordura
y unas copas de más de sueños,
observando todo lo que mi despiste natural
me deja observar.
De lucha interna y social,
que a cada cierto tiempo necesito realidad
con los amigos, porque mi mente vuela
como los aviones de papel,
y no está de más poner los pies en la tierra
de vez en cuando.

Si no escribo no soy nadie, porque no soy
de nadie,
con o sin letras, solo mía,
tan mía que me asusta
la idea de compartirme.

56

Tengo cuatro minutos antes de volver
a la realidad y tengo muchas cosas que contarte.
No soy la misma que la de diciembre
y desde que te conozco me has cambiado
las ganas de vivir. Y estas me gustan más.

En el último año, he vuelto a escribir
como hacía muchos que no,
y me estoy riendo más fuerte que nunca,
tengo las ideas más claras y otros planes
diferentes a los que te conté.

¿Sabes?
Siempre que paso por allí me acuerdo
de ti, es inevitable, ese rollo es tan tuyo,
me flipaba cada vez que me contabas
cualquier tontería y otras cosas
que ni entendía.
Todavía me acuerdo de los planes
que nunca hicimos.

Alguna vez me salvaste la vida y ni lo sabes.

Acababas las frases cuando yo no sabía
cómo hacerlo, siempre encontrabas algo
bueno en medio de todo el caos.
Me encontraste a mí incluso.

Echo en falta a veces que me vaciles,
el aquí y ahora y el vive siete días,
el bien, siempre bien.

Ojalá estés bien, ojalá vuelva a verte
y me revivas con uno de tus abrazos.
No hay nada que me apetezca más que verte
la cara y tomarme una cerveza contigo,
otra más.

57

Y vienes tú a contarme cuentos
que hablan de amores de verano,
de esos que duran poco,
pero que marcan más que los de invierno.
Lo que no sabes es que mi amor de verano
soy yo,
que no tú.

No quiero que seas fugaz,
no quiero que te queme el sol
y te lleve el mar,
no quiero que tus noches duren menos,
no quiero hartarme de ti,
no quiero tener tiempo solo para ti,
no quiero saber de ti
ni de tu verano.

Nos vemos en septiembre.

58

He visto dilatar tus pupilas
a la distancia justa de un beso.
Ese preciso instante de antes,
el mensaje de después de vernos
y esas manías comunes.
Te he visto sonreír a cámara lenta,
y ni te imaginas lo que me gusta.
He sentido tu respiración en mi ombligo
y mi poesía está en tu cuello.
Me gusta mi nombre en tu voz
y verte dos días en semana;
me gusta el dolor de barriga
con solo pensarte, y tu olor en mi ropa.
Me gusta que estés sin presionar,
ni aprisionar.
Me gustas tú,
y es que hasta la luna apostaría por ti.

59

Ella quiere saber,
conocer cada centímetro cuadrado
de tu mente
y de tu cuerpo,
que pongas el alma encima de la mesa
y que no prometas nada.
A ella no le va nada que tenga que ver
con la palabra amor.
Porque le asusta, se caga.
Ella no quiere algo serio,
quiere reírse mucho, quiere descojonarse
de la vida, del mundo, contigo.
Quiere clavar su mirada en la tuya
y que pase lo que tenga que pasar.
Y no pensar.

60

Hay un lunar que quiero besarte
una vez más, este domingo.
Me da miedo, no quiero prisas,
pero quiero más.
Quiero disfrutar de esto,
pero quiero más.
Lo quiero todo y ya.
Y contigo.
Quiero planes, ratos y cenas,
quiero audios de tu voz diciéndome
lo que quiero escuchar
y dormir contigo al menos
una vez en semana.
Quiero que todo el mundo sepa,
cuando yo nunca he querido que sepan.
Vivo en el uno de noviembre,
el tres de septiembre y el diecisiete de julio.
Vivo con miedo y ganas a partes iguales,
vivo por mi nombre en tu voz
y un beso en la frente a media noche.
Vivo conteniendo tanto que siento
que voy a explotar,
me voy a expandir y voy a reventarlo todo.

Tengo miedo,
quiero estar aquí,
quiero más.

61

Eres magia, arte y un poco de picardía.
Provocas a saltarse las normas,
los muros y los kilómetros que hagan falta.
Inspiras e invitas a escribir
porque leerte te da vida y te mata a la vez.

Porque poca gente hay con tantas ganas
de vivir, porque no cualquiera merece
conocerte, pero todo el mundo
daría las siete vidas por algo parecido,
y porque incluso en la despedida
no lo pudiste hacer mejor.

62

Me puse la venda en los ojos
y me metí en la boca del lobo
sabiendo que íbamos a acabar mal.
Me merecía la pena,
la vida y el rato. Roto estabas,
y yo demasiado bien para ser yo,
pero me puse la venda en los ojos
y me metí en la boca del lobo.
Me gustaba estar ahí,
y a ti tampoco se te veía tan mal.
Me metí sabiendo cómo iba a acabar todo,
preparándome la despedida,
y quién me iba a decir que aún estamos aquí,
en el mismo sofá,
sin lobo
ni miedos
ni despedidas.

63

Tengo el vicio absoluto de autoprotegerme,
de ir con actitud de *killer*,
cuando menos lo necesito,
y de echar doble llave a mi corazón y alma.
A contradecirme de por vida
y a dejarme llevar sin pensar demasiado
en las consecuencias.

A pesar de todo lo que he contado,
he de confesarte que no puedo evitar
ser yo misma con el resto del planeta
y cagarla cuando menos toca,
arrepentirme por ser así
y amar cada parte de mí misma a la vez.

Querer volar
si escucho *Shots* de Imagine Dragons,
o el buen rollito de cualquiera de JavyPablo.
Querer comerme el mundo,
a ti de paso,
y ni saber por dónde empezar.

64

Ser, estar,
tuya, contigo.

65

No sé si ahora me das menos
o si ya no me es suficiente,
pero quiero más.
Quiero que no seamos nada y todo a la vez,
quiero verte consiguiendo metas
y cayendo,
para caerme contigo, levantarnos juntos
y reírme de ti
y contigo.
No quiero que cambies, nada,
me gusta cada una de las plumas de tus alas.
Quiero que no hablemos ni nos veamos
todos los días,
pero que me cuentes
la más mínima tontería que te pase.
Que me hables de cosas que ni entiendo
y veamos una serie juntos de vez en cuando.
Que la gente,
que poco nos importa lo que digan,
nos pregunte qué pasa aquí
y no sepamos responder.
Quiero que estés,
libre,

pero que estés.
Y que, cuando te vayas, vuelvas,
siempre,
y me cuentes qué tal te fue el día.

66

No sé cómo empezar ni cómo decirlo,
pero contra todo pronóstico
mi mirada se clavó en ti.
Te has metido en mi cabeza
como esas canciones que no puedes parar
de tararear desde primera hora de la mañana.
Mira que lo he intentado, pero ahí sigues,
ahí estás,
y mi deseo de encontrarte por casualidad
por la calle o en ese bar de la esquina.

Me gustas tú porque eres arte sin saberlo,
porque eres interesante,
como un libro recién comprado,
porque eres todo lo que escribí
antes de saber que existieras.
Porque quiero verte vivir, y cómo vives,
quiero escucharte, vacilarte,
bailarte, besarte.
Hacerte mío, sin posesión, y comerte,
y que comamos juntos algún día.
Quiero saber qué es eso de lo que algunos hablan,
eso a lo que llaman amor,
pero que yo creo que es otra cosa.
Quiero vivirlo contigo
porque no se me ocurre un mejor plan
de vida que compartir contigo
todo mi fuerte y amurallado mundo.

68

Quiero inviernos con arena en los pies
y piel salada,
inviernos de no demasiado frío
y sol en la cara.
Quiero un invierno
con un alto tanto por ciento de verano,
la paz de invierno,
las horas del sol de julio
y noches con la piel fría,
pero el calor de una manta.
Quiero todo lo que sea
cuando se supone que no toca,
que no es el momento.
Quiero desafiar a la ciencia,
a la física y al mundo,
sola,
pero contigo.

69

Y ahí estábamos los dos,
después del mejor polvo de nuestras vidas,
tumbados,
con la total seguridad de ser nuestros,
y no de posesión,
sino de saber que jamás nadie
superaría ese nuestro tan nuestro,
ni aunque te fueras, ni aunque me fuera.

70

Antitípicas historias de amor,
enamorada de la luna
y de los atardeceres con colores vivos.
Eternamente inspirada en la noche para escribir,
soñando con vivir en plena naturaleza,
descalza y sin sujetador.

Miedo a las olas,
esas mismas en las que me pasaría la vida,
frente a ellas.

No saber callarme
o no ser capaz de decir ni una palabra.

Un cielo lleno de estrellas
y una noche de perseidas,
mi cuerpo aquí
y mi mente en cualquier otro sitio del planeta,
sin nada demasiado claro,
tan de nadie,
vivir, vivir y vivir,
y llegar a vivirlo.

71

Mensaje de auxilio:

...⁻

..⁻

.

.⁻..

...⁻

.

72

Contigo olvidé lo fácil
que siempre fui de olvidar,
contigo conocí juego, paciencia
y reír con ganas.
Contigo me conocí a mí
conociendo a alguien,
contigo salí de mi zona de confort
y estuve más en confort que nunca.
Contigo tuve miedo y me atreví de verdad,
no como otras veces
que pensé que lo había hecho
y en realidad nunca fue así.
Contigo me dio miedo hablar de futuro,
pero me negaba a pensar en uno
en el que no estuvieras.
Contigo me llevé la contraria,
contigo aprendí a tomar buenas decisiones
y a mirar por mí.

Tú me enseñaste eso,
a mí, que pensaba que ya lo sabía.
Contigo me arriesgué y gané,
aunque ya no estés.

73

Hice un hueco en mi vida para ti,
tú también me lo hiciste a mí,
tan natural,
con tantas ganas.

Fue una mierda que ese hueco
cada vez se fue haciendo más pequeño.

74

Qué putada echar de menos,
qué putada este vacío, saber que ya no,
que ya no se puede, que es lo mejor.
Qué putada más grande aún
cuando nada malo fue.
Pero es que echo de menos tu olor,
tu notificación y tu boca.
Echo de menos yo relajada, sintiendo
y queriendo más.
Echo de menos, y eso me descoloca.
Quiero que vuelvas,
con una excusa, una bandeja de sushi
y las narices que nos faltaron,
quiero que estés ahora y siempre.
Quiero que todo vuelva
a como era antes de que pensáramos bien
en qué nos estábamos metiendo
y huir como cobardes.

75

Me gustabas tú
porque no pensaba en el resto,
porque no me daba miedo nada,
porque no nos prometimos nada,
porque no íbamos en serio.
Eso pensábamos.
Porque no hablabas de futuro,
porque la mente y las tripas me ardían al verte,
porque enredada en tus sábanas,
tus brazos y tu boca
todo estaba bien.

76

Los malditos *flashbacks* de cómo me miraba,
cómo me tocaba,
cómo me buscaba en mitad de la noche
para abrazarse a mí.
Que suene una notificación
con la esperanza de ver tu foto.
Quiero contarte el día de caos
que he tenido hoy.
Te vi de lejos y quería tenerte cerca.
Cada día te tengo menos presente,
en mi cabeza,
en mis días.
Cada día tu foto en WhatsApp
está más abajo, y me asusta esa ausencia,
ese vacío.
Me da rabia
porque te tenía en la cabeza
constantemente
y ya no tanto.
No quicro que siga pasando el tiempo
y ese vacío sea más grande,
que no estés,
que ya nunca estés ni tú

ni tu foto de WhatsApp en recientes.
Deberíamos aprovechar
cómo nos miramos.

Maldita sea la nostalgia,
esa que me está matando.
No sé qué hacer,
no sé si te echo de menos a ti
o a lo que teníamos,
pero cómo me tenía como me tiene.
Solo quiero meterme en la cama y dormir
para obviar este vacío que me pesa y oprime.
Me da miedo que nos encontremos
y notes que sigo aquí,
pero más miedo me da que pienses
que ya no estás en mí.
Necesito de tu boca para volver a respirar
con normalidad.

78

Mi mayor acto de cobardía fue irme
y escribir esto. O más bien, yo diría:
Mi Mayor Acto De Amor.

79

Hubo dos noches en concreto,
de todas las que vivimos juntos,
que no me quito de la cabeza.

Si no me diera tanto miedo,
diría que a esto debe parecerse el amor.

80

No quiero convencerte,
no quiero exigirte,
no quiero pedirte,
pero ojalá hagas lo que sea por hacer
que me quede. Me voy,
me estoy yendo,
tengo que ponerme a salvo,
no quiero hacerlo,
estoy cansada,
no estoy preparada para esto,
aunque tampoco lo estoy para irme.
Me voy,
me estoy yendo.
Este vacío que se queda por huir.
El miedo hay que atravesarlo
y yo huyo de él
y tú no me retienes
y tú dejas que me vaya.
Escucho mi respiración más que nunca,
respiro profundo, pero siento
que mis pulmones ya no se llenan.
Hay ruido constante fuera y dentro.
No quiero volver,

no quiero irme,
me voy,
me estoy yendo.
No me dejes ir.
Agárrame.

81

No es el momento,
no es el momento.
¿Y qué hace que lo sea?
Spoiler: el momento perfecto no llega,
el momento perfecto es llegar tarde,
es llegar a invierno queriendo verano,
es perder,
es perderte, es perderla.
Es ahora.
El momento perfecto es serle arrogante
al miedo, es atravesarlo,
es oído sordo y boca seca, es temblar,
es insomnio,
es llevarte la contraria a ti misma,
es dejarte de tonterías,
es saber y dejar de darles a otros
los consejos que no tienes para uno,
es ahora.
El momento perfecto es ahora.
El momento perfecto es ahora.

82

Dicen que, si dos personas huyen
de un sentimiento, huyen en la misma dirección.
Despedirme sin quererlo,
despedirme sabiendo que quiero volver.
Siento que si me alejo de ti
se me aclararán las ideas.
Odio que me hayas hecho sentir,
pero también te agradezco
que me hayas hecho sentir.
Sé que lo entiendes.
No tengo preguntas que hacerte,
pero quiero respuestas que no tengo.
Necesito deshacer los hilos enredados
de lo que había entre nosotros
para hacerme una manta para mí sola
y arroparme de este frío.
Del frío de no ser nosotros ya,
de la necesidad de estar despierta, en alerta.
De esperar que seas tú quien vuelve,
de desear que no sea yo sola
la que está en este estado enfermizo de espera.

Sé que sigues ahí.

83

Ella,
Ella
está en las estrellas,
en todo lo alto.
Desde ahí los problemas se ven más pequeños.
Ella está más fuerte que nunca,
ríe tan fuerte que la miran,
que ni le importa.
Ella es capaz de hacer revivir a los muertos,
y créeme que no exagero.
Ella es sagrada Épica,
a Ella no la olvidas
porque, aunque se vaya, está,
siempre está.
Ella tiene tanta luz
que ni un eclipse lunar la apaga.
Ella trastorna todos tus puntos cardinales
y te quedas en tierra de nadie,
te hace perder el norte porque ella es sur.
Ella, que su mente no para,
que hay veces en las que siente
que todo lo de su alrededor
se le queda pequeño.

Y quizá sea por vivir, sentir y pensar
por encima de sus expectativas,
algo que ha aprendido de esta sociedad.
Pero Ella, una vez más,
quiere ser la excepción que confirma la regla.
Ella quiere todo lo que sea
cuando se supone que no toca,
que no es el momento.
Ella quiere desafiar a la ciencia,
a la física y al mundo,
porque nunca es suficiente.
Que el soñar a lo grande
o vivir soñando
es una buena filosofía de vida,
y quiere demostrarlo.
Y quiero verla porque sé que lo hará,
consiguiendo lo que nunca nadie.

84

~~Puedo escribir sobre el amor~~
~~sin haberlo sentido en su plenitud~~
~~porque siento, y eso a veces es suficiente~~
~~para quedarse, para irse, para luchar,~~
~~para llegar a ti.~~

Rectifico:

Puedo escribir sobre el amor
porque esta es la manera
en la que yo lo he sentido,
el único que entiendo.
Esto es en su plenitud el amor,
porque siento y eso a veces es suficiente
para quedarse, para irse, para luchar,
para llegar a ti.

¿Te ha gustado este libro?

Si estos versos te han emocionado, hecho reflexionar o simplemente acompañado, **tu reseña sería el mejor regalo para la autora**. Cada comentario sincero alimenta su pasión por seguir escribiendo.

Comparte tu experiencia:

En tus redes sociales
Una foto de la cubierta con tu opinión puede inspirar a otros lectores a descubrir estos poemas.

En nuestra web de Ediciones Pangea
Tu reseña ayudará a otros lectores a descubrir nuevos mundos y aventuras literarias.

Con familiares, amigos y otros lectores
El boca a boca sigue siendo la recomendación más poderosa que existe.

Tu opinión auténtica, larga o breve, cuenta. Tu recomendación puede encender la pasión por la lectura en otra persona.

¡Gracias por formar parte de esta comunidad de lectores!

Ediciones Pangea

P/V

Esta segunda edición de *Todas las veces que (no) me enamoré*, de Cristina Guzmán Dorado, terminó de imprimirse en mayo de 2026.